날 것 그대로의 마음을 오늘도 달래준다

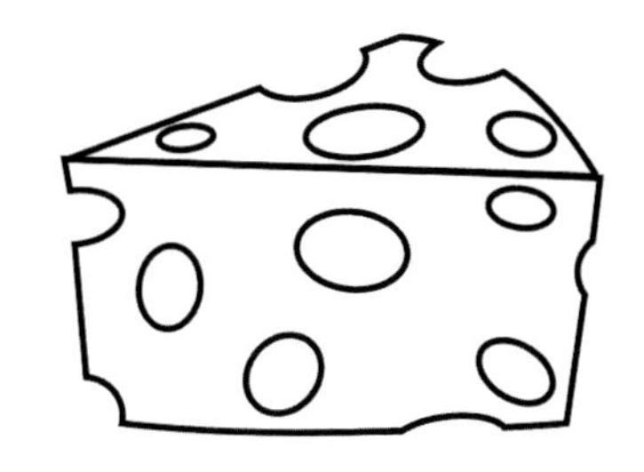

Cheese Books

시작하는 글

사람은 완벽할 수 없다. 완벽함에 대한 강박은 자신을 생각의 감옥으로 보낸다. 완벽한 척해보지만 언젠가는 한계에 부딪히고 자신을 파괴한다.

서로의 장점을 나누는 것
부족한 부분은 타인에게 도움을 받으면 된다.
그것이 우리가 혼자 살 수 없는 이유다.

목차

1부. 성찰

1

수많은 자아 성찰의 시간을 거치면서 내가 할 수 있는 것과 할 수 없는 것이 구별된다는 것을 알게 되었다. 무엇이든 하면 된다는 말이 얼마나 무지한 말인지 그때는 알지 못했다.

2

자신의 마음 그릇에 따라 할 수 있는 일의 범위가 정해져 있다. 너무 욕심을 내다보면 한순간에 무너질 수도 있다. 그 무너짐을 만나지 않기 위해 조심스러워졌다. 막연한 미래를 그리기보다 자신의 그릇을 키우는 것부터 시작한다.

3

생각보다 타인은 자신에 관심이 없다.

관심이 있다면 가벼운 가십거리 정도일 것이다.

타인이 자신의 문제를 진심으로 해결해 줄 수도 없다.

우린 모두 독립적인 존재다.

4

게으름을 좋아하는 아이라는 것, 비슷한 사람들과 만남을 좋아한다는 것, 감투에 별 관심이 없다는 것, 지극히 평범한 아이라는 것을 인정해 버렸다. 지극히 평범한 나란 사람이 이 세상을 살아가는 방법이다.

5

사회생활을 하다 보면 다양한 사람들을 만나게 된다.
여러 사건을 거치면서 성숙해진다. 인생사 특별함을 느끼
며, 주어진 삶에 만족하며 현재를 살아가고 있다.

6

각자 가진 재능이 다 다르다. 남들에게 인정받는 직업을 가지기 위해 부단히 노력했었다. 전문적인 직업과 부유한 사람과의 결혼을 꿈꿨다. 고정관념들로 가득 찼던 시간이 지나 온전히 내가 원하는 모습으로 살아가게 되었다. 번지수를 잘못 찾아가서 횡설수설하지 말고 있는 그대의 나로 살아가자.

7

내가 제일 좋아하는 모습으로 살아간다.
내가 제일 좋아하는 모습으로 살아간다.
내가 제일 좋아하는 모습으로 살아간다.

그것이 내가 존재하는 이유다.

요리를 좋아하는 사람, 독서를 좋아하는 사람, 일을 좋아하는 사람, 춤추는 걸 좋아하는 사람, 사람을 좋아하는 사람, 평온함을 좋아하는 사람, 파티를 좋아하는 사람, 운동을 좋아하는 사람, 경쟁을 좋아하는 사람, 먹는 걸 좋아하는 사람

8

마음속에 소리치는 아이의 목소리를 무시하지 않기로 했다. 절대 남과 비교할 수 없는 자신으로 다시 태어났다. 온전한 나를 받아들였다.

9

친구들과 헤어지고 오는 길, 두 개의 생각 주머니를 들고 귀가했다. 그런 날은 쉽게 잠들지 못한다. 들뜬 마음이 가시지 않아 떠다니는 단어들을 엮어 문장을 만들어 본다.

10

조바심이 가득한 난, 다가오지 않을 미래를 걱정한다.

몇 개월이 아닌 몇 년 뒤 계획을 말이다.

11

그녀는 마음의 여유가 가득하다. 회사의 권태로움에 대해 말해보지만, 어딘가 모르게 여유로워 보인다. 어떤 변수가 생길지 모르는 삶에 확신이 차 보였다.

12

복잡한 생각에 잠이 오지 않는 날이 있다. 미래가 불안하기만 하고 두렵다. 생각의 꼬리는 끝이 없고 포기라는 단어가 먼저 생각이 난다.

13

두렵지만 꾸준히 하고 싶었다. 변덕스러웠던 20대를 지나 인내심을 가지고 버티고 싶었다. 참아도 보고 이해도 해 보고 싫든 좋든 그 손, 쉽게 놓지 말자고 했다.

14

정신이 혼미할 때 혼자만의 시간이 필요했다. 반복되는 생각과 우울해지는 감정들을 잡아보았다. 그 감정도 인정해 주기로 했다. 마음이 시키는 대로 솔직하게 말이다.

15

예술을 좋아하는 유순한 영혼들, 독특한 감성을 가진 친구들, 매사에 진지한 친구들, 장난스러운 친구들, 그들의 이야기 속에서 생각지도 못한 답을 찾게 되었다.

16

예술을 좋아하게 되었다. 가수는 목소리로 노래를 하고 화가는 붓으로 그림을 그린다. 작가는 펜으로 글을 쓴다. 도구는 다르지만 하고 싶은 말을 전한다. 그들에게 제일 중요한 것은 진정성. 자신의 감정과 사상을 전달하여 공감을 일으킨다. 가장 솔직하고 순수한 장르라서 좋다.

17

무언가를 창작 해내며 미적 감각을 발휘하는 일을 하고 싶었다. 마음속 감정들을 표출하고 싶었다. 글, 그림, 연극, 음악 등의 매개체로 자신의 영감을 표현하고 싶었다.

18

인생의 청춘은 절반이 지났고 아직 빛을 보지 못한 아이를 살려주고 싶었다. 그때 하지 못한 선택을 창작에 대한 열망을 가진 그 아이에게 선택권을 주기로 했다.

19

바쁘게 사는 이에게 예술의 영감이 깃들지 않는다. 정말 심심해서 못 견딜 때까지 혼자 멍하니 있어야 한다. 혼자 놀아본 사람, 무언가에 빠져본 사람만이 좋아하는 것을 찾는다. 옛날에는 그림을 그리고 시를 쓰고 악기를 연주하는 사람들을 한량이라고 했다. 자신을 한가하게 놓아주고 풀어주어야 한다.

20

평범한 사람과 재능있는 사람은 다를까? 평범한 사람은 시간을 소비하지만, 재능있는 사람은 시간을 이용한다.
평범한 사람들에 의해 일상이 흘러간다면 재능있는 사람들은 큰 흐름을 만든다. 절대적 소수의 힘으로 큰 움직임을 만드는 것이다.

21

우린, 소수의 생산자와 다수의 수요자로 구분된다. 생산자 중에서 창의에 호의적인 사람과 창의적인 사람으로 나뉜다. 모든 면에서 완벽한 사람은 없다. 당신은 어디에 속하는가?

2부. 감정

22

어떤 단어를 좋아하세요? 수영, 물, 자유, 책, 조용함, 음악, 감성, 잔잔함, 절제, 심플, 솔직함, 담백함, 해맑음, 햇살, 바람, 자연, 푸름, 평온함, 단단함, 건강한 삶, 자기관리, 경험, 도전, 열정, 끈기, 윤택함, 아름다움이 떠오른다. 이 단어들은 사상을 이루는 조각들이다.

23

두려움의 반대말은 사랑이다. 사랑받지 못할까 두렵고 고통스럽다. 타인에게 인정받기 위해 노력했고 그 욕심이 과해 화로 변했다. 하지만 그것을 버리기는 싫었다. 타인의 관심과 사랑이 절실했다.

24

과거로 인해 지금의 내가 존재하고 현재의 행동이 모여 또 다른 과거를 만든다. 과거를 후회할수록 삶에 대한 미련이 쌓이고 현재를 부정할수록 괴로워진다. 오지 않는 미래에 대한 욕망으로 현재의 시간을 희생한다.

25

긴 밤에 꿈을 꿨다. 선생님이 강아지 3마리를 그리라 하셨다. 한 장, 두 장, 세 장 각 종이에 맞게 강아지를 빠르게 그려 제출했다. 시원하게 그려나간 그림이 인상 깊었다. 한 아이가 있다.

3마리 강아지를 한 종이에 정확하게 그리려 했다. 떠오른 모습 그대로 표현하고 싶었지만, 마음에 들지 않아 지워버렸다. 제출 시간이 얼마 남지 않았지만, 다시 그려나간다.

처음 그렸던 강아지가 다른 아이들의 그림보다 좋았다. 하지만 지워버렸다. 10분이 채 남지 않았다. 이 상태로는 미완성이다. 아이는 손이 떨렸다. 한 친구가 다가와 도와주었고 겨우, 제출을 할 수 있었다. 미제출보다 완성이 중요하니 말이다.

26

우리는 청춘사업의 대상이 되었다. 꿈을 이루기 위해 힘든 것이 당연하다고 했다. 사회적 현상과 상관없이 노력으로 성취할 수 있다고 했다. 실패하면 다시 일어날 수 있다고 했다. 근데 너무 감상적이다.

꿈이 아닌 현실에 따라 삶을 선택해야 한다는 것, 위험관리를 해야 한다는 것을 알려주지 않았다.

개인적인 환경에 따라 불가능할 수도 있는 꿈을 무조건, 할 수 있단다.

젊기에 열정만 있으면 가능하다는 그 무책임한 말에 아무런 비판적 사고 없이 도전했다면, 이내 현실과 직면하게 될 거다.

27

현재는 지금이고 과거는 지나갔고 미래는 오지 않았다. 왜, 지금, 난 괴로울까? 현재에 만족하지 못해서 아니면 지난 과거가 후회스러워서일까? 오지 않은 미래에 대한 불안감일까?

이 생각의 분열은 하나의 시점으로 합치하지 못했다.
과거의 찬란한 시절을 떠올리고 현재의 고통을 크게 되뇌며, 불안한 마음에 미래를 부정한다.

28

우리의 삶은 긴 터널과 같다. 들어갈 때 두렵다가 빠져나오는 순간 숨을 돌린다. 어둡고 긴 터널을 빠져나오기 위해 얼마나 노력하는지. 그 늪에 허우적거리는 우리의 모습들. 한없이 길게 느껴지는 어둠의 터널도 끝은 있으니 그 끝을 위해 달려간다.

29

어떤 분야에 미치고 싶었다. 미쳐있는 사람들은 그 분야에서 평균 이상의 결과를 가진다. 하지만 겁이 났다. 타인의 시선이 의식되었고 늦은 나이인 것 같았다.

주류에 속하고 싶었다. 다른 이의 이목을 신경을 쓰며 사회적 흐름에 맞춰 살아가려 했다. 동굴에 들어가고 싶었다. 종일 잠만 자고 싶은 날이다. 현실이 너무 고통스럽다고 느낄 때는 눈을 뜨고 싶지 않다.

30

마음속에 들어있는 스트레스들을 말로 표현할 수 없을 때 축 처진 강아지처럼 늘어진다. 타인의 평가에 자유로울 수 없는가? 상대의 의도와 상관없이 마음이 오락가락하는 걸 보니 아직 마음이 단단하지 못하다.

31

못난 마음이 올라왔다. 분노, 시기, 질투, 오해의 감정들이 마음에 들어온다. 지인의 연락 빈도, 직장에서의 인간관계, 자기만의 언어로 해석한다. 못난 마음이 튀어나와 악마의 말을 내뱉는다.

“저 사람 너 싫어해. 너도 같이 미워해.”
상태가 안 좋은 날은 그 악마의 손을 잡는다.
“더럽고, 치사하네. 다 싫다.”

좀처럼 사라지지 않는 감정들. 이성을 찾으려 하지만 마음은 요동친다.

날 것의 그대로의 마음을 오늘도 달래준다.

“괜찮아.”

32

불안감과 조급함이 합쳐지면 무엇을 해야 할지 감이 오지 않는다. "괜찮다. 괜찮다. 괜찮다." 3번 외쳐본다. 조급함에 내 발을 밟아 버릴 수도 있으니 천천히 가도 괜찮다. 길만 잃어버리지 않는다면 방황해도 괜찮다. 충분히 잘하고 있어서 괜찮다.

33

사람은 완벽할 수 없다. 완벽함에 대한 강박은 자신을 생각의 감옥으로 보낸다. 몸은 자유롭지만, 머리는 지옥이다. 완벽한 척해보지만, 언젠가는 한계에 부딪히고 자신을 파괴한다.

자신을 너무 채찍질하면 언젠가는 고장이 난다. 부족한 부분은 타인에게 도움을 받으면 된다. 서로의 장점을 나누는 것, 그것이 우리가 혼자 살 수 없는 이유다.

34

본인의 삶에 대해 깊이 생각해 보았다. "왜 사는지? 무엇 때문에 돈을 버는지? 네가 원하는 것은 무엇인지? " 이런 질문에 답할 수 있는 사람은 자신뿐이다.

답을 찾으려 하면 할수록 정답과 멀어진다. 잠시 머리를 비워보는 것도 좋다. 생각지도 못한 찰나의 순간에 깨달음이 들어온다. 종일 부여잡고 있던 생각들을 놓아버린 이후에서야 해답을 찾는다.

35

내가 어떤 사람인지 파악하고 나로 살아갈 수 있도록 도와주는 것이 최선이다. 사람들에게 좋은 메시지를 전달하고 나로 인해 감흥을 느끼고 영감과 즐거움을 얻는다.
그 매개체가 어떤 것이라도 상관이 없다.
온전히 마음으로 받아 표현해 본다.

36

오늘은 내 인생에서 제일 젊은 날이다. 남 눈치 보지 말고 소신 있게 살아가자. 아직 살아갈 날이 너무너무 많다. 너무 다그치지 말고 자신을 예뻐하자. 미워하기에는 시간이 너무 아깝다. 자신을 사랑하자.

37

이미 늦었다는 말을 입에 달고 살았다. 지금 시작해서 무엇하냐며 모든 일에 회의적이었다. 우연히 참석한 교육프로그램에서 노인분들의 이야기를 들었다. 젊을 때 악기 하나 배울 걸이라는 말에 지금도 늦지 않았다며 서로를 격려했다. 갑자기 자신이 부끄러워졌다.

"할아버지, 할머니가 보기에 난 얼마나 어려 보일까? " 지금이 내 인생에 제일 젊은 날이다. "지금 해서 뭐해? " 라는 말이 "지금이라도 빨리 시작하자"로 바뀌었다.

지금, 이 순간 해야 할 일이 너무 많았고 미래에 대한 작은 희망으로 하루를 보낼 수 있었다.

38

마음의 단단함을 잊어버릴 때가 있다. 마음이 무너지면서 다른 이들의 삶이 부러웠다. 늦은 저녁, 아무와도 마주치고 싶지 않아 홀로 방 안에 있다. 불을 켜지 않은 방 안에서 작은 조명에 의존한 채 최근 일어난 일들에 대해 생각했다.

지인의 소식을 간접적으로 접했고 그들의 즐거운 모습에 반사되어 보이는 난, 어둠이 가득했다. 다른 이의 행복을 보며 슬픔이라는 감정을 느끼다니 못났다.

애써 회피하고 싶은 날들의 연속이었고 어떤 감정도 마주치고 싶지 않았다. '내 인생은 왜 이렇게 구겨진 종이 같을까?' 애써 웃어보았다.

3부. 사랑

39

사랑의 완성은 완벽한 사람의 합집합이 아니라 부족한 두 명이 만나 교집합을 이루는 것이다. 좋은 것만 바라고 원할 때가 있었지만 서로 다름을 인정하고 부족한 부분을 채워 삶을 완성해 가는 것이다.

40

새로운 만남은 언제나 설렌다. 새로운 사람은 언제나 신선하다. 호기심으로 시작해 그 사람에 대해 알아 간다. 그 자체가 개성이니깐, 서로의 취향을 강요하지 않는다. 그 모습 자체가 사랑스럽다.

호기심이 많고 자극적인 성격이 재미있었다. 한땐, 순애보 사랑에 관심이 없었다. 거울 속에 비치는 모습에만 관심이 있었고 좀 더 재미있는 걸 원했다. 설렘에 중독되었고 익숙한 만남에 싫증을 냈다.

41

설렘이 가뭄의 비처럼 찾아올 때, 살아있음을 느낀다. ‘아, 아직 사랑이 내 안에 있구나.’ 안도하게 된다. 봄에 한 번, 가을에 한 번, 잊을 만하면 찾아온다. 특별한 감정들이 들어온다. 사랑은 순식간에 다가와 영감을 주고 떠난다.

42

지금은 안정적인 연애가 좋다. 새로운 것에 대한 기대보다 익숙함이 소중하며 만남에 감사하다. 항상 새로울 수는 없으니 말이다.

잔잔한 마음이 좋다. 천천히 달아오르는 편안한 사람이 좋다. 정서적이고 따뜻한 사람이 좋다. 함께 있으면 불편하지 않은 사람이 좋다. 대화가 잘되고 이해심이 많은 사람이 좋다.

43

사람마다 고유한 기운이 있다. 좋은 에너지를 주는 사람을 만나면 기분이 좋아지고 한층 업이 된다. 반대로 나쁜 에너지를 주는 사람을 만나면 피곤해지면서 다음 날까지 기분이 안 좋다.

피로감을 주는 관계는 만남의 회수가 점점 줄어들고 서서히 멀어지게 된다. 이성 관계도 마찬가지다. 사랑하는 사람과 대화가 잘 되면 정서적인 교감이 커지고 관계가 깊어진다.

44

첫 느낌은 단순히 '저 사람 괜찮아 보인다. 귀엽다. 잘생겼다. 예쁘다.'라고 한다. 그 첫 느낌만으로 가치관, 내면, 환경 등을 알 수 없다. 첫눈에 반했다는 말. 즉, 끌림은 외모적인 부분에서 마음이 동했다는 것이다.

사랑과 연애는 머리로 하는 것이 아니니, 마음이 향하는 대로 따를 뿐이다. 처음 느껴지는 분위기에 모순이 생길 수 있기에 첫 느낌이 절대적인 기준은 아니다.

서로 있는 그대로의 모습을 보여주고, 상대방을 이해할 수 있는지 살펴본다. 첫인상과 첫 느낌이 절대적인 기준은 아니니 말이다.

45

나의 세계와 너의 세계가 만나
우린 같은 생각을 하고 있을지 몰라.
우린 서로에게 특별한 감정을 가졌고
그런 영감들이 만나 사랑으로 끝났지.
비슷한 그를 만나 불꽃을 피웠어.
그와 대화하며 뭔가 통했어.

뭐지?

생각과 감정, 그 무엇을 말할까 ?
내가 생각하는 포인트를 이 사람은 알까?
복잡미묘한 감정을 이 사람은 알까?
내가 감성적이라면 그도 그럴까?

46

"몇 살이세요? 결혼은 했어요? "

인사처럼 하는 말이지만 언제부터인가 대답하지 못했다.
머뭇거리며 "아, 저 나이 많아요." 라 했다.
굳이 하지 않아도 될 말을 하며 쭈뼛거렸다.

나이에 대해 말하는 것이 점점 어려워졌다. 나이별로 존재하는 과업들이 마음을 짓눌렀다. 잘못한 건 없는데, 나는 나인데 말이다. 다음에는 겁내지 말고 망설이지 말고 당당하게 말해보자.

47

좋은 감정만 쏙쏙 골라 편식하며 감정을 선택하는 시절이 있었다. 설레고 긍정적인 감정만 취하고 부정적이고 힘든 감정은 무시했다. 그 감정들은 점점 괴물이 되어 만남과 헤어짐을 반복했다.

사람과의 관계에서 중요한 것은 끝맺음이다. 잘못된 끝맺음은 서로에게 상처를 남기고 새로운 시작을 막는다.
그 상처는 하염없이 주위를 맴돌고, 수렁에서 빠져나오기까지 꽤 긴 시간이 걸린다.

자연 치유 과정을 겪고서야 주변을 둘러본다.
이제, 좋은 사람들이 눈에 들어온다.
새로운 시작이 가능하다는 신호이다.

새로운 시작은 지난날의 끝과 맞닿아 있다.
관점이 변하면서 자신을 새로운 공간으로 옮겨준다.
끝은 시작의 이음, 전혀, 슬프지 않은 단어다.

48

사람에 대한 두려움과 의심으로 선뜻 다가서지 못했다. 가벼운 인사로 서로를 의식한다. 무심한 척, 신경 안 쓰는 척을 한다. 그는 친절했고 다정하며 모난 성격이 없었다. 굴곡 없는 무던함이 좋았다.

그의 인내심이 배려가 되었다. 사소한 것까지 챙겨주고 이야기를 잘 들어주었다. 건너기만 하면 되는 길. 그 길 위에 둥근 돌들이 흐름에 맞춰 굴러다닌다. 그는 정서적으로 따뜻하고 배려심 있는 사람이다.

49

좋아한다. 생각할 때마다 웃음이 난다.

싫증이 난다. 마음이 변했다.

반하지는 않았지만, 질리진 않는다.

은근한 매력이 있다.

50

옷장에 검은 옷이 가득한 시절이 있었다. 어울림을 알지 못한 채 상대방의 선호에 따라 옷을 샀다. 소비에 진심이었던 그때, 백만 원이 넘는 옷을 호기롭게 사며, 옷들을 모았다.

시간이 흘러 그의 흔적이 사라지고 칙칙한 삶에서 벗어났다. 그때는 맞았고 지금은 틀렸다. 그렇게 시간이 흘러 입지 않는 옷들이 늘어나면서 그와의 추억도 함께 묻혀갔다.

너와 나를 괴롭혔던 것은 결핍이었고 그 아이는 우리 만남에 중요한 역할을 했다.

난 너의 패션 감각이 좋았어.
난 너의 명확함이 좋았어.
난 너의 유쾌함이 좋았어.

난 너의 고슴도치 마음이 싫었어.
난 너의 이기적인 모습이 싫었어.
난 너의 고지식함이 싫더라.

사실 나의 결핍이 너의 장점이고
너의 결핍이 나의 장점이었어.

이상하지 않니?

51

“ 알고 있니? ”

무의식 속에서 원했던 사람은 바로 너였다는 걸. 마법의 주문서는 매번 바뀌었지만, 그 사람을 부른 건 너였어.
넌 이해할 수 없다고 했지만, 그건 진실이야.

넌 욕심이 많아. 그 고통 속에서도 솔직하지 않더라.
넌, 참 독해. 첨엔, 순수한 마음에 말렸어.

그 끈을 놓으라 했지.
넌, 끝내 놓지 않더라.

난, 희망을 뺏어 버리는 것 같아서
더는 말리지 않았어.

넌, 행복이란 조건에 꼭 욕망이 들어가더라.

에필로그

일상에서 느낀 잔상들을 모아보았습니다. 스치는 생각들을 기록한 조각입니다. 이 시대를 살아가는 1인으로 웃고 울며 화내고 설레는 삶의 연속입니다.

이 또한, 저의 모습이네요.

저와 같이 울고 웃으며, 동시대를 살아가는 여러분에게 이 글이 공감과 위로가 되길 바랍니다.

작가소개

우은미

인스타그램 @wu.som

나를 찾아가는 여행길 중독자
매일 생각 덩어리 데리고 다니는 편
생각의 늪에서 벗어나기 위해 끄적끄적

날 것 그대로의 마음을 오늘도 달래준다

초판 1쇄 발행 23.09.10

초판 2쇄 발행 23.12.15

글 우은미

펴낸곳 치즈북스

인스타그램 @cheesebooks

ISBN 979-11-975407-9-0

값 : 12,000원